Argraffiad Cymraeg cyntaf: 2000
Ail argraffiad Cymraeg: 2002

Cyhoeddwyd gyntaf ym Mhrydain yn 2000
gan Gullane Children's Books,
Winchester House, 259-269 Old Marylebone Road,
Llundain NW1 5XJ

ISBN 1 85902 859 4

Dymuna'r cyhoeddwyr gydnabod cymorth
Adran Olygyddol Cyngor Llyfrau Cymru.

Cyhoeddwyd gan Wasg Gomer, Llandysul, Ceredigion SA44 4QL.

Argraffwyd a rhwymwyd yn China.

Owain
a'r Robot

Ian Whybrow

Darluniau gan Adrian Reynolds

Addasiad Emily Huws

GOMER

Roedd Owain yn chwarae
efo'i robot pan stopiodd
hwnnw gerdded, a syrthio
ar wastad ei gefn.
Yna diffoddodd pob un o'i oleuadau.
Cafodd andros o sioc!

Clywodd Nain yn pesychu.
Roedd hi ar y buarth yn bwydo'r ieir.
Rhedodd allan i ddangos y robot iddi.

Roedd rhai o fatris y robot wedi gollwng ar ei wifrau.
Felly dyna nhw'n ei lapio mewn parsel ac yn ei anfon
i ysbyty'r robotiaid.

"Fe wyddon nhw'n union sut i'w drwsio yn fan'no,"
meddai Nain.

Roedd Owain eisiau gwneud robot arall i chwarae efo fo
tra byddai'n aros i'r llall ddod yn ôl o'r ysbyty.
"Syniad da," meddai Nain. "Gallwn ni ddefnyddio
fy siswrn gorau i os hoffet ti."
Fe osodon nhw bob dim yn barod ar y bwrdd.

Ond chawson nhw ddim cyfle i wneud dim.
Bu'n rhaid i Mam fynd â Nain i'r gwely
am ei bod yn pesychu gymaint.

Pan ddeffrodd Owain y bore wedyn, doedd Nain ddim yno. Roedd ambiwlans wedi dod yn y nos. Roedd yn rhaid iddi fynd i'r ysbyty, meddai Mam, am fod ei brest mor ddrwg.

Y diwrnod hwnnw wnaeth
Owain fawr ddim ond syllu
ar y teledu.

Dechreuodd Owain wneud robot ar ei ben ei hun.
Roedd o eisiau defnyddio siswrn gorau Nain,
fel roedd Nain wedi dweud.
"Paid!" meddai Ela. "Nain biau'r rheina!"

Taflodd Owain ei stegosaurus ati yn ei dymer.

Daeth Mam draw at Owain i'w dawelu.
"Gei di ddefnyddio siswrn gorau Nain os ydi hi wedi dweud," meddai hi. "Ond dim ond pan ydw i'n gwylio."
Roedd yn rhaid iddo fod yn ofalus, ofalus, am eu bod mor finiog.

Bu Owain wrthi'n brysur drwy'r bore.

O'r diwedd, roedd y robot newydd yn barod.

Roedd o'n un arbennig.

Dysgodd iddo gerdded fel milwr.

Dysgodd iddo siarad.

A dysgodd iddo saethu pethau.

Meddai'r robot:

"He – lô – Ow – ain.

'Sgen – ti – be – beswch?

WHAAAAAM!"

Roedd yr ysbyty yn fawr ond fe gawson nhw hyd i Nain yno.

"Chewch chi'ch dau ddim mynd i mewn,"
meddai Mam wrth Ela ac Owain.
Cododd y ddau eu dwylo arni drwy'r ffenest,
ond agorodd Nain mo'i llygaid.

Tra oedd Mam ac Ela yn sibrwd efo'r meddyg, sleifiodd Owain i'r ystafell – dim ond fo a'r robot arbennig.

Rhoddodd y robot arbennig wrth ymyl Nain.

Meddai'r robot:

    "He – lô – Na – in.

      'S – gynn – och – chi – be – beswch?"

Agorodd Nain un llygad. Winciodd.

Meddai'r robot:

    "Fe saeth – a i ei – ch peswch chi

      I – FFWWWWW–

        WWWWRDD!"

WHAAAM!

Ond rhedodd Mam i mewn. "Paid, Owain!" meddai hi.
"Popeth yn iawn," meddai'r meddyg. "Peidiwch â phoeni.
Robot ydi'r union beth i helpu Nain!"

Y noson honno, bu Owain
yn brysur iawn,

yn rhoi pethau
at ei gilydd,

yn gludo,

yn lliwio ac . . .

fe wnaeth bump robot
arbennig i ofalu am Nain.

Bu'r pump yn ei gwarchod hi.
Yn cerdded fel milwyr iddi hi.
Ac yn saethu ei pheswch
i ffwrdd nes ei bod hi'n well.

Daeth Nain adref a dadbacio ei phethau.

"Ti'n un da am ofalu," sibrydodd wrth Owain.

"A fy robotiaid arbennig i hefyd," meddai Owain.

"O ie, wrth gwrs," meddai Nain. "Hoffwn i eu cadw nhw wrth f'ochr. Ga i?"

"Cewch siŵr iawn," atebodd Owain.

Aeth Nain allan i'r buarth i weld
sut oedd yr ieir.
Roedden nhw'n iawn.

Cyrhaeddodd parsel y pnawn hwnnw.

Robot Owain oedd ynddo, wedi dod yn ôl o'r ysbyty.
Daeth ei olau ymlaen. Cerddodd fel milwr.
Roedd o fel newydd.